GILLES CÔTES

Sorcier aux trousses

Éditions de la Paix

SoDEC
Québec ::

Nous remercions

le Conseil des Arts du Canada de l'aide accordée

à notre programme de publication.

Nous reconnaissons l'aide financière

du gouvernement du Canada par l'entremise du
Programme d'aide au développement de l'industrie de
l'édition (PADIÉ) pour nos activités d'édition.

GILLES CÔTES

Sorcier aux trousses

Illustrations Fil et Julie

Collection *Dès 9 ans*, no 28

Éditions de la Paix

pour la beauté des mots et des différences

© 2002 Éditions de la Paix

Dépôt légal 3ᵉ trimestre 2002
Bibliothèque nationale du Québec
Bibliothèque nationale du Canada

Imprimé au Canada

Illustrations Fil et Julie
Infographie Geneviève Bonneau
Révision Jacques Archambault

Éditions de la Paix
127, rue Lussier
Saint-Alphonse-de-Granby
Québec J0E 2A0
Téléphone et télécopieur **(450) 375-4765**
Courriel **info@editpaix.qc.ca**
Site WEB **http://www.editpaix.qc.ca**

Données de catalogage avant publication (Canada)

Côtes, Gilles

    Sorcier aux trousses

    (Dès 9 ans ; 28)
    Comprend un index.

    ISBN 2-922565-55-6

    I. Arseneau, Philippe. II. Saint-Onge Drouin, Julie.
III. Titre. IV. Collection.

    PS8555.O818S67 2002 jC843'.6 C2002-940950-0
    PS9555.O818S67 2002
    PZ23.C67So 2002

Philippe Arseneau Bussières

et

Julie Saint-Onge Drouin

deux illustrateurs qui se complètent.

Alors que l'un affine les traits de l'autre

qui accentue les couleurs de celui

qui remettait en question l'idée

qu'avait amené le concept du second,

celui-ci épure ou raffine les formes

afin de bien servir le public ciblé

par ce premier,

et de pair,

ils recomposent aux effluves

d'un bon café bien tassé...

site Internet

http://pages.infinit.net/filjulie

1

L'homme en gris

Quel plaisir, de voir les flocons ricocher contre la vitre de la voiture ! L'hiver, c'est du gâteau cette année, la neige s'accumule à vue d'œil. Heureusement, parce qu'un Noël sans neige, c'est comme du hockey sans rondelle, ça ne mérite pas d'exister !

Ma sœur, Marie-Pierre, n'a pas levé le nez de son livre depuis au moins une heure. Je me demande bien pourquoi elle désirait tant voyager en train. On serait dans un sous-marin qu'elle ne verrait pas la différence.

Moi, je suis emballé à l'idée d'aller à la base de plein air. Ce sera un Noël vraiment différent. C'est super que maman y ait pensé !

Depuis trente minutes, le train est immobile en gare de La Tuque. Quel drôle de nom pour une ville ! Un nom d'hiver. Il paraît qu'on l'a nommée ainsi à cause d'une montagne voisine qui a la forme d'une tuque. J'aimerais bien lui voir le pompon, à cette montagne-là !

Marie-Pierre claque les pages de son livre et le jette sur la petite table entre nous.

— Viens, Benoît, on va dehors !

Ma sœur a cette faculté de rebondir quand on s'y attend le moins.

Je me dépêche d'enfiler mon manteau. Même si nos parents ne sont pas là, je connais les consignes par cœur. Maman me les a répétées en trois exemplaires. Alors pas question d'attraper une grippe quand elle et papa nous rejoindront dans deux jours. Nous descendons sur le quai de la gare.

— Pouah ! Quelle odeur ! s'exclame Marie-Pierre en se pinçant le nez.

Je l'approuve sans réserve :

— C'est pire que la transpiration de mon professeur de gym. Moi qui le croyais champion en la matière...

La grande cheminée au nord de la ville en est la responsable. Une papetière. Comment des arbres qui se transforment en papier peuvent-ils sentir les œufs pourris ? Il faudra que papa m'explique ce mystère.

Le quai est désert en cette fin d'après-midi. Avec le vent qui souffle et les flocons qui nous fouettent le visage, il n'y a rien d'agréable à rester plantés dehors. Vite nous poussons la porte de la petite gare. Quelques familles attendent de reprendre le voyage. Assis sur des bancs de bois verni, les adultes semblent impatients.

Deux bambins malmènent un train électrique sous un sapin de Noël. Le chef de gare sort de son bureau. La casquette juchée sur le sommet du crâne, d'une voix grave, il les sermonne :

— Touchez pas, les enfants ! C'est une décoration, ce n'est pas un jouet.

Tout en maugréant, il replace le train sur ses rails. Puis il remet de l'ordre dans le village miniature étalé sous le sapin.

Dans notre dos, la porte s'ouvre. Un géant fait son entrée en même temps qu'une volée de flocons. Il est vêtu de pied en cap d'un long manteau gris. On dirait un espion. Son regard inquisiteur fait rapidement le tour de la petite salle. Ses sourcils se relèvent à la vue du chef de gare à genoux devant le sapin.

— Je dois vous parler, lui lance-t-il.

L'autre se met à rougir. Il comprend qu'il a l'air ridicule avec sa casquette et son train électrique à la main. Marie-Pierre me pousse du coude et je sens que son cerveau se met en branle à la vue de cet homme.

— Il doit se passer quelque chose dans le train. C'est pour ça qu'ils nous font attendre, me murmure-t-elle à l'oreille.

— Mais non, qu'est-ce que tu imagines ? C'est à cause du mauvais temps.

— Tu ne trouves pas qu'il a un drôle d'air, avec son grand manteau ?

Inutile de lui répondre, ça ne ferait qu'empirer les choses. Elle reprend en me tenant le bras :

— Regarde. Ils s'enferment dans le bureau. Ils ont vraiment l'air bizarre.

Marie-Pierre s'approche de la porte du bureau affichant « Administration ». Je frémis à l'idée qu'elle y colle son oreille. Elle fouille plutôt dans sa poche et en tire un sac de bonbons. D'un geste maladroit, elle le laisse tomber près de la porte. La douzaine de papillotes s'éparpillent autour d'elle. Ma comédienne de sœur prend un air désolé en se penchant pour les ramasser. Ses doigts se referment sur du vide une fois sur deux. Je m'approche d'elle et lui chuchote :

— Marie-Pierre, cesse ton numéro.

Au même moment, l'homme au manteau gris sort du bureau à grands pas. Ma sœur se redresse pour l'éviter. S'ensuit un effet boules de billard. Je recule d'un pas et percute le derrière d'un gros monsieur penché sur un sac de voyage. Celui-ci perd l'équilibre et s'étale sur le banc devant lui. Bien entendu, le tout bascule contre le mur en entraînant deux personnes et le sapin.

Mes yeux s'arrondissent comme des boules de Noël. L'homme au manteau gris ralentit à peine sa course. Il quitte la gare en coup de vent.

Sur ses pas, le chef de gare est devenu aussi pâle que la neige qui tombe. Son teint devient cadavérique à la vue du sapin qui semble danser la samba. Heureusement, personne n'est blessé. D'une voix atone, il avise tout le monde que le train repartira dans dix minutes.

Je n'en finis plus de m'excuser tout en reculant vers la porte. Marie-Pierre me précède en pouffant de rire.

Avant de remonter dans le train, je cherche le manteau gris. Nulle trace de l'énorme carrure. Qu'est-ce qui peut bien l'énerver ainsi ? Finalement, ma sœur a raison de le trouver étrange. Le regard déterminé de cet homme m'a donné froid dans le dos.

2

SOS

Marie-Pierre, rétablie de ses fous rires, replonge dans sa lecture. Moi, je ronge mon frein en essayant d'apercevoir des morceaux de paysage à travers la bourrasque. Même en plaquant mon nez sur la vitre, je ne vois que du blanc et encore du blanc. Comme si on saupoudrait le train de sucre à glacer.

Bientôt, le Québec tout entier sera enseveli sous la neige. C'est vraiment extra, sauf que ça nous empêche d'avancer. Ce train roule aussi vite qu'une tortue sur une plage.

Je pourrais me rendre à la voiture-restaurant pour acheter un sandwich, mais j'aime mieux rester avec ma sœur. Elle prépare sûrement quelque chose. Ce n'est pas normal qu'elle soit aussi calme.

Même l'agitation qui règne dans notre voiture ne l'atteint pas. Pourtant les voyageurs commencent à rigoler joyeusement à l'arrière. C'est sûrement l'approche de Noël qui les excite ou les breuvages qu'ils dissimulent dans leurs sacs.

— Rapide-Blanc. Billets, s'il vous plaît. *Tickets, please*.

Bon, revoilà le contrôleur. Il passe souvent celui-là. C'est à croire qu'il voudrait qu'on dépose quelqu'un à toutes les *talles* d'épinettes. On ne va quand même pas s'arrêter ! On n'aperçoit même pas une lueur. Il n'y a que de la neige et du noir. Heureusement, personne n'a tendu la main sur son passage. Seule une maman avec son bébé s'informe du retard.

— Environ deux heures, madame, et ça ne va pas s'améliorer, lui annonce-t-il en pivotant légèrement.

J'ouvre aussitôt un sac de croustilles. Pas question d'affronter les imprévus le ventre vide ! Marie-Pierre lève les yeux. À voir son expression, on dirait que mes cheveux viennent de s'enflammer.

— Qu'est-ce qui te prend de me regarder comme ça ? lui dis-je la bouche pleine.

Ma main remplie de croustilles reste suspendue en l'air. L'homme en gris se dresse devant notre banquette. De surprise, mes doigts se referment sur les croustilles qui s'émiettent sur la table.

Son gros visage au menton carré nous ausculte brièvement. Il nous a sans doute reconnus. J'aimerais que papa et maman soient là. Mais déjà les yeux aux éclats d'acier se portent vers l'autre banquette. Nous ne sommes pas celui ou celle qui l'intéresse.

Marie-Pierre ferme son roman et se penche vers moi par-dessus la table.

— Tu as vu ?

— Quoi ?

— Sous sa veste. Il a un crâne de serpent comme pendentif.

Ça y est, elle est repartie !

— C'est louche, évalue-t-elle, en se tordant le cou pour mieux suivre l'homme du regard.

— Tu es sûre que c'est un crâne de serpent ?

— Benoît, je sais reconnaître un crâne de serpent, me dit-elle sur le ton mystérieux de celle qui en a vu d'autres.

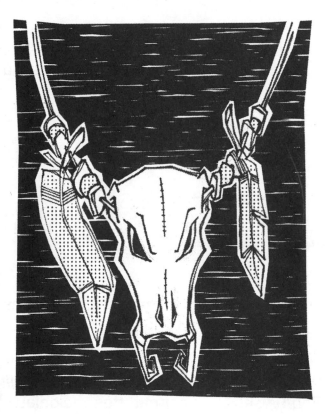

Il faut dire que l'imagination de ma sœur est galopante. Il n'y a qu'à voir s'agiter sa blonde queue de cheval pour s'en rendre compte. Un crâne de serpent ! Qu'est-ce que cet homme ferait d'un tel objet à son cou ?

Marie-Pierre s'agenouille sur le siège. Elle lorgne vers le fond de la voiture où l'homme en gris vient de disparaître.

— Suis-moi. On va voir ce qu'il cherche.

— Mais on ne peut pas faire ça !

— On a le droit de se promener autant que lui. Allez, viens.

Les arguments de ma sœur sont sans réplique. Je lui emboîte le pas.

Dans la voiture quelqu'un entonne *Petit Papa Noël*. Ce n'est pas très mélodieux, mais ça nous rappelle qu'il y aura plein de cadeaux après demain.

La porte de la voiture est lourde. J'aide Marie-Pierre à en pousser le battant. Ma sœur a autant de force qu'une crevette anémique.

De l'autre côté, quelques flocons tourbillonnent sur le plancher. La froidure a trouvé une fente par où s'infiltrer. Le vent siffle et les roues crissent sur les rails.

— Allons-y, commande encore Marie-Pierre en progressant vers la voiture suivante.

La seconde porte s'ouvre avant même qu'elle n'en touche la poignée. Décidément, ça devient une manie, ces portes qui s'ouvrent sous notre nez. L'énorme manteau gris est là devant nous. Il nous toise d'un regard suspicieux.

Je me rends compte que nous sommes seuls dans ce petit espace avec cet inconnu qui a l'air d'avoir une crèche de Noël en travers de la gorge.

— C'était vous dans la gare ? questionne-t-il en fronçant les sourcils. J'espère que vous ne me suivez pas.

Tout en parlant, il se penche vers moi. Ma sœur avait raison, le crâne de serpent sautille devant mes yeux en me fixant de ses orbites creuses.

Je n'arrive qu'à balancer la tête de gauche à droite. Ma voix reste tapie au fond de la gorge. Vu de près, son visage est sévère et révèle une origine amérindienne. Pas l'ombre d'une ride rieuse sur sa peau cuivrée.

— C'est bon. Sans doute que nos rencontres sont le fruit du hasard, dit-il.

Mais que je ne vous y reprenne plus ! J'ai suffisamment de problèmes comme ça.

Le manteau gris se redresse et poursuit son chemin en dégageant une forte odeur d'eau de Cologne.

Ma sœur est blême et je suis juste une teinte en dessous. Nous regagnons nos places bien sagement.

***

Le train commence à hésiter, puis à ralentir. Les visages s'approchent des fenêtres. Les conversations ne charrient plus que de la neige et du vent. Un adolescent, branché sur son baladeur, n'arrête pas de jouer les oiseaux de malheur. Son dernier bulletin météo prédit plus de quarante-cinq centimètres de neige.

— Du vrai gaspillage ! dis-je à ma sœur. Avec une telle quantité de neige, notre école resterait fermée pendant deux jours.

Marie-Pierre ne m'écoute pas et garde son nez contre le carreau. Ses yeux en disent long sur ses pensées. Nul doute que le manteau gris est apprêté à toutes les sauces et épicé de beaucoup d'aventures.

Moi, je crois qu'on devrait penser à autre chose. Il m'a fichu la trouille, cet énergumène avec sa tête de reptile blanchie ! Mais ses manigances ne nous regardent pas.

Ma sœur sort de sa rêverie et reprend son livre. Il n'est pas sitôt ouvert qu'elle s'exclame :

— Ho !

Bon, qu'est-ce qu'il y a encore ? Elle me tend un bout de papier qu'elle vient d'extraire de son livre.

— Lis ça, Benoît !

Je prends la feuille dont le haut présente une série de petits trous déchirés. Elle provient sûrement d'un carnet de poche. Deux mots sont griffonnés en travers des lignes bleues :

Bagages / SOS

— Qu'est-ce que ça veut dire ? dis-je à Marie-Pierre.

Ma sœur est toute excitée.

— *Bagages / SOS.*

Je pousse un soupir.

— Je sais lire quand même ! Je voulais
dire...

Mais elle ne me laisse pas le temps de
continuer.

— Il se passe quelque chose de grave,
Benoît. On nous appelle au secours. Je le
savais.

— Mais qui ?

Marie-Pierre ne tient plus en place.

— C'est à nous de le découvrir. Tu te
rends compte, quelqu'un a déposé ce
message dans mon livre, à moi.

— Tout un cadeau de Noël !

— Et si cela avait un lien avec le manteau gris ? me dit-elle en roulant des yeux.

Marie-Pierre n'a pas son pareil pour le mystère. À la maison, un simple faux numéro de téléphone suffit à la plonger dans un bouillonnement intellectuel qui finit par nous donner la chair de poule.

J'essaie de désamorcer son enthousiasme :

— Ce serait une bonne raison pour oublier tout ça.

Sans m'écouter, elle remballe ses affaires dans son sac à dos à toute vitesse.

— Il faut aller dans le wagon à bagages.

— Tu es malade ! On ne nous laissera pas entrer là-dedans.

— Allons voir avant de baisser pavillon, réplique-t-elle pleine d'entrain.

Marie-Pierre va encore me mêler à ses projets maléfiques. J'hésite. S'il y a du grabuge, c'est moi qui risque de payer. Je suis l'aîné, après tout.

Le wagon à bagages est situé derrière la locomotive, au delà du quartier général du contrôleur. Il nous faudra traverser deux voitures pour y parvenir. L'opération semble risquée. Marie-Pierre semble sur-voltée. Et ça me paraît suffisant pour que nous restions tranquilles.

3

La malédiction

Bien entendu, je n'ai pas réussi à la convaincre. Chargés de nos sacs à dos, nous sommes à deux doigts de passer à l'action.

Ma sœur n'a rien d'une dentellière. Elle va droit au but. S'il faut créer une diversion, tous les moyens sont bons.

Après avoir jeté un regard vers la banquette occupée par le contrôleur, Marie-Pierre repère son objectif : une vieille dame seule, assoupie sur sa banquette. Dix secondes lui ont suffi. Devant la femme, une cage emprisonne deux oiseaux qui piaillent avec ardeur. Ma sœur me donne du coude.

— Prépare-toi, Benoît, il va y avoir de l'action.

— Qu'est-ce que tu comptes faire ?

J'ai peur de comprendre son idée. Marie-Pierre n'hésite pas une seconde.

— Suis-moi.

Je lui emboîte le pas tout en surveillant les voyageurs. Par chance, personne ne s'occupe de nous. La tempête et la proximité de Noël sont au centre des conversations.

Devant moi, Marie-Pierre heurte la cage avec juste assez de force pour la déplacer légèrement. La vieille dame ne bouge pas. Ma sœur replace la cage et d'un geste rapide en ouvre la porte. Nous poursuivons notre marche dans l'allée comme si de rien n'était.

De petits cris s'élèvent dans notre dos. Un enfant s'exclame :

— Maman, regarde l'oiseau.

En moins de temps qu'il en faut pour le dire, la voiture se transforme en terrain de chasse. C'est à qui attraperait les oiseaux le premier. Certains s'esclaffent, pendant que d'autres poussent des cris aigus lorsqu'un des volatiles les frôle. La vieille dame se réveille en sursaut et constate le drame.

— Mon Dieu ! Roméo, Juliette ! Il faut les rattraper.

Les deux employés coiffent leur casquette et tentent de mettre de l'ordre dans le chahut qui s'installe. Personne n'écoute leurs directives. D'une petite voix aigrelette, la vieille dame s'égosille et appelle ses oiseaux :

— Roméo, Juliette ! Petit-petit !

Un monsieur bedonnant, debout dans l'allée, lance sa veste de laine en guise de filet. Elle atterrit sur la tête du contrôleur. Plus loin, un enfant, à cheval sur le dossier d'une banquette, essaie d'attraper un des oiseaux à mains nues. Dans sa précipitation, il renverse un verre de boisson gazeuse sur un couple d'amoureux. Outrés, ceux-ci protestent avec véhémence. L'un des volatiles, complètement affolé, s'emmêle dans la chevelure touffue d'une dame qui hurle en s'ébouriffant avec les mains. D'autres voyageurs s'amusent comme une bande de gamins dans un dortoir sans surveillance.

Quelle pagaille ! Marie-Pierre me tire par la manche et nous nous engouffrons dans le wagon à bagages. Ni vu ni connu. Mission accomplie.

*　*　*

Maintenant il ne nous reste plus qu'à trouver le mystérieux lanceur de SOS. J'espère qu'il ne tardera pas trop à se manifester parce qu'ici, *Via Rail* lésine sur le chauffage. On se croirait dans une glacière. Heureusement que nous avons pris nos manteaux.

Quel fatras ! Des piles de boîtes de carton, de grosses valises, plusieurs havresacs, une motoneige, un poêle à bois tout neuf et un tas d'autres bricoles sont étalées sur le plancher. Il semble que le train soit encore fort utile dans certaines régions du pays.

Je n'ai pas le temps de pousser plus avant mon inspection que Marie-Pierre me tire brusquement par le bras. Je bascule cul par-dessus tête derrière un amas de bagages.

— Aïe ! Tu m'as fait mal.

— Tais-toi ! Le manteau gris vient d'entrer par la porte du fond, me chuchote-t-elle à l'oreille.

Je me fais instantanément tout petit. Ce qui est un exploit quand on considère la longueur de mes membres. À qui dois-je me plaindre d'un excès de croissance ?

Les pas de l'homme se rapprochent. Cette fois, on est cuit. Mais avant que j'aie pu imaginer toutes les tortures que nous allons subir, une main me tire avec force par la manche de mon chandail. Cette fois Marie-Pierre n'y est pour rien. Elle a les mains posées sur le sol. Je tente de résister, mais une petite voix se fait entendre :

— Vite, par ici ! Dépêchez-vous !

Sans plus réfléchir, ma sœur et moi, nous nous glissons par une petite ouverture derrière un amoncellement de caisses.

À cet endroit, il fait plus sombre. Le trou s'est refermé rapidement derrière nous. À présent, nous sommes tassés comme dans une boîte d'allumettes. Nos sacs à dos, coincés entre nos jambes, sont encombrants. Nous attendons que la porte du wagon claque avant de passer aux explications.

L'ouverture se dégage. Le peu de lumière nous dévoile le visage tendu et les yeux apeurés d'une fillette qui semble à peine plus âgée que moi. Des cheveux courts et soyeux lui tombent sur le front. Ses grands yeux suppliants nous regardent tour à tour.

— J'ai besoin de votre aide !

Ma sœur et moi devrions ouvrir une agence. *BMP, Benoît et Marie-Pierre, Secours en tous genres.*

Les présentations sont rapides. Léa-Jeanne Niquado est amérindienne et habite Joliette. Elle s'est enfuie de chez elle avec un petit sac et juste assez d'argent pour payer son passage.

— Mais pourquoi te caches-tu si tu as un billet ? lui demande Marie-Pierre.

— À cause du sorcier. Il ne faut pas qu'il m'attrape ! Il est très puissant.

— Un sorcier ?

Les yeux de Marie-Pierre s'allument comme des brasiers.

— Oui. Il est monté dans le train à La Tuque. Je l'ai entendu parler à un employé. Il me cherche ! C'est pour ça que je me cache ici. J'ai à peine eu le temps de vous laisser un message. Merci d'être venus.

— Mais pourquoi nous ?

Ma sœur m'arrache les mots de la bouche.

— À cause du livre. Je l'ai déjà lu. J'ai pensé que quelqu'un qui a les mêmes goûts que moi saurait m'aider.

Comment comprendre les filles avec des raisonnements pareils ?

— Mais pourquoi cet homme te cherche-t-il ? s'enquiert Marie-Pierre.

— Il veut m'empêcher de briser la malédiction.

— La malédiction ?

Marie-Pierre ne se possède plus. Léa-Jeanne reprend :

— Celle qui pèse sur notre famille depuis plusieurs générations.

Moi, je ne connais qu'une seule malédiction dans notre famille : tante Georgette et ses grosses lèvres pulpeuses badigeonnées de rouge. Elle n'a pas son pareil pour nous les appliquer sur le visage sans ménagement.

Léa-Jeanne nous raconte d'une voix feutrée :

— Mon frère va naître d'ici à Noël. Maman m'a prévenue qu'il y aurait un problème. Il ne sera pas comme les autres bébés. Je dois empêcher ça.

— C'est triste, murmure Marie-Pierre, mais que peux-tu faire ?

— Trouver l'incantation.

— Quelle incantation ?

— Celle qui permet de rompre la malédiction. Ce sont des mots magiques que seul Aristide, le frère de grand-papa, connaissait.

Je décide d'introduire un peu de rationnel dans cette histoire à dormir debout :

— Mais si l'incantation est connue, pourquoi la malédiction existe-t-elle toujours ?

— Parce que mon oncle Aristide est mort avant d'affronter le sorcier. La tuberculose a eu raison de lui. Il a fini ses jours au sanatorium du lac Édouard. Pas loin de la réserve amérindienne où il a passé sa vie. Dans ma famille, on raconte qu'il est mort seul et abandonné.

— Et quelle est la cause de la malédiction ? poursuit Marie-Pierre.

— C'est la faute d'un de nos ancêtres. Il a défié le sorcier de son village. Il a refusé de lui donner sa fille en mariage. Le sorcier est entré dans une grande colère. Il a maudit notre ancêtre et sa descendance. Depuis ce temps, plusieurs naissances ont été difficiles dans notre lignée familiale. Même que certains bébés sont mort-nés.

Léa-Jeanne semble au bord des larmes. Elle continue :

— Maintenant c'est à notre tour. Moi qui ai tellement souhaité avoir un frère !

Une larme glisse sur le bout de son nez. Marie-Pierre lui prend la main.

— Si on peut t'aider, on le fera.

Je n'aime pas tellement les contrats en blanc. Surtout lorsqu'il est question d'un sorcier. J'ai eu ma leçon avec les fantômes l'été dernier. Je l'interroge à nouveau :

— Mais qui te dit que cet homme est vraiment un sorcier ?

— J'en suis sûre ! Il porte une amulette au cou. Il utilise des langues anciennes pour s'informer à mon sujet. Je l'ai entendu. Et puis il est apparu subitement dans le train à La Tuque. Pourtant je n'ai dit à personne où j'allais. Je suis certaine qu'il veut m'empêcher de trouver l'incantation.

— Et où est cette incantation ? demande Marie-Pierre, sur le point de se

jeter en bas du train, pour partir à sa dé-
couverte.

Léa-Jeanne poursuit son histoire en
refoulant son émotion :

— Peu de temps avant sa mort, Aristide
l'aurait gravée sur un des murs du sous-
sol du sanatorium. Personne de ma famille
ne s'y est jamais rendu pour le vérifier.
Quelques mois plus tard, le sanatorium a
été fermé et bientôt, il sera démoli. Je dois
essayer de trouver l'incantation pour mon
frère qui va naître.

Marie-Pierre réplique avec enthousiasme :

— Nous allons aussi au lac Édouard
pour les vacances de Noël. Dans une
base de plein air.

— Les ruines du sanatorium sont à moins d'un kilomètre de la base. Je me suis renseignée, annonce Léa-Jeanne, pleine d'espoir.

Je ne peux m'empêcher d'intervenir sur les questions pratiques.

— Qu'est-ce que c'est, un sanatorium ?

Ma connaissance des mots en *ium* n'est pas très étendue. À part aquarium et la marque de croustilles *Yum-Yum*, c'est le néant.

— C'était un hôpital pour les malades atteints de tuberculose. Une maladie pulmonaire mortelle. L'air pur de la région du lac Édouard était sensé favoriser leur guérison. Alors on y a construit un des plus grands sanatoriums du Québec. Malheureusement, la guérison n'était pas toujours garantie. Beaucoup n'en revenaient jamais.

— Ce n'est pas très réjouissant, dis-je en refermant le col de mon manteau.

— Tu peux compter sur nous, Léa-Jeanne, promet Marie-Pierre.

Je reconnais ma petite sœur et son cœur gros comme une montagne. J'hésite à épouser son enthousiasme. J'ai encore l'image du crâne de serpent qui se balance devant mes yeux !

4

Dans la tempête

Léa-Jeanne a pris soin de s'informer du nombre d'arrêts entre La Tuque et le lac Édouard. Heureuse initiative, car avec la poudrerie, les deux minuscules fenêtres du wagon à bagages ressemblent à des écrans de télévision enneigés. Impossible de se repérer. Mais selon son calcul, nous y sommes. Le train vient en effet de s'immobiliser.

Depuis quelques minutes, nous discutons de la meilleure façon de sortir du train. En réalité, moi, je préfère déguster une tablette de chocolat. Discuter avec deux filles est une épreuve aussi épuisante que de convaincre un arbitre de hockey qu'il n'y a pas eu hors-jeu.

Soudain, la porte coulissante s'ouvre dans un grand bruit. Effrayés, nous crions en reculant. La neige s'engouffre tel un nuage de fumée blanche. Un employé des chemins de fer grimpe dans le wagon. Son épais manteau d'hiver et sa casquette sont givrés.

— Qu'est-ce que vous faites là, vous autres ?

Le ton est rude et autoritaire. Marie-Pierre réplique de sa petite voix roucoulante :

— Nous nous sommes trompés de voiture. Nous allons au lac Édouard.

L'homme nous regarde attentivement.

— Eh bien, nous y sommes ! Vous avez vos billets ?

Nous nous empressons de les lui montrer.

— Vos parents savent que vous êtes ici ?

Marie-Pierre continue son numéro de charme.

— Nous allons à la base de plein air pour le temps des fêtes. Nos parents vont nous rejoindre le 24 décembre. Lui, c'est mon frère et elle, ma cousine.

Je comprends le type d'être étonné par le lien de parenté entre une amérindienne aux cheveux noirs et ma blondinette de sœur. Mais la composition des familles d'aujourd'hui joue en notre faveur.

— Bon, dépêchez-vous. Les gens de la base de plein air vous attendent.

L'homme pointe un doigt ganté vers une énorme carriole tirée par deux chevaux de trait. Debout près d'un petit hangar, les grosses bêtes semblent imperturbables sous la bourrasque. Quelques voyageurs montent déjà dans la carriole. Je ne peux m'empêcher d'être déçu.

— Ce n'est pas le genre d'autobus que j'espérais.

— Au contraire ! Ce sera super dans la tempête, s'écrie Marie-Pierre avec enthousiasme.

D'un geste, l'employé du train tire un *walkie-talkie* de sa poche. D'une voix forte, il informe le contrôleur :

— Gérard ? J'ai ici un jeune garçon et deux fillettes. Ils vont à la base de plein air. Les billets sont en règle.

Un épouvantable bruit de friture couvre la réponse de Gérard. Pour une sortie en douce, on repassera. L'homme au *walkie-talkie* nous aide à sauter du train. Déjà, il y a une bonne quinzaine de centimètres de neige au sol. Nous nous enlisons dans la poudreuse en nous protégeant le visage de l'assaut du vent. Finalement, cette tempête est une chance. L'homme en gris ne pourra pas voir grand chose de l'intérieur du train.

Nous nous installons sur le dernier banc de la carriole. L'un des deux responsables nous tend une épaisse couverture pour nous protéger du froid. Marie-Pierre refait son baratin pour expliquer la présence de sa pseudo cousine. Moi, je tends une enveloppe qui contient notre réservation. Le type en prend rapidement connaissance et nous crie pour couvrir le bruit du vent :

— C'est bon, les enfants. Je réglerai les détails avec votre père.

Je jette un coup d'œil derrière moi. Le train est toujours immobile. J'aimerais bien le voir démarrer en emportant l'homme en gris. Mais on s'affaire toujours du côté du wagon à bagages.

Notre carriole s'ébranle au son des grelots. Les chevaux s'enfoncent dans la nuit, éclairés par un fanal suspendu à une tige à l'avant de la carriole. Un des animateurs entonne un chant de Noël à moitié emporté par le vent.

Derrière nous, sur une marche du train, entre deux rafales de vent, j'aperçois l'homme en gris. Il regarde dans notre direction. Ses cheveux se soulèvent sur sa tête et les pans de son manteau claquent au vent. Il me semble même apercevoir le crâne de serpent qui sautille à son cou.

J'ai à peine le temps d'avertir ma sœur et notre nouvelle copine que la tempête le fait disparaître. Je me glisse sous la couverture en frissonnant à l'idée que cet individu pourrait nous retrouver.

***

La randonnée en carriole ne durera qu'une dizaine de minutes. C'est plus qu'il en faut pour que le moniteur ne s'irrite la luette avec son répertoire de chansons de Noël.

Sitôt arrivés à la base, on nous installe dans une grande maison. Elle est subdivisée en trois appartements et se trouve à l'écart des autres bâtiments. Le moniteur chantant nous montre l'essentiel : cuisine, chambres, thermostats pour le chauffage, téléphone pour joindre le chalet principal. Finalement, il nous souhaite bonne nuit, en nous précisant que le petit-déjeuner est servi à la cafétéria, entre sept et neuf heures. Léa-Jeanne ne tient plus en place.

— Il faut nous rendre au sanatorium au plus vite !

Je la regarde comme si elle me proposait la dictée des Amériques. Je tente de la raisonner :

— On pourrait attendre que ça se calme. On risque de se perdre dans cette tempête.

— Au contraire. La tempête représente un avantage. Personne ne nous verra. Et puis si nous nous dépêchons, nous n'aurons qu'à suivre les traces de la carriole dans la neige. Nous sommes passés tout près des ruines tout à l'heure.

— Comment sais-tu que c'était le sanatorium ? demande Marie-Pierre.

— Un des deux moniteurs l'a mentionné à une voyageuse.

L'idée de sortir par ce temps ne m'enchante guère. J'essaie de résister encore.

— Tu comptes y aller comment ?

— En raquettes. Il y en a plusieurs paires devant le chalet.

En raquettes ! Aussi bien dire à genoux. Marie-Pierre et moi n'avons jamais chaussé de tels... instruments.

— Si vous ne venez pas, j'irai toute seule ! s'entête Léa-Jeanne. Le sorcier est peut-être déjà en marche pour me retrouver.

Là, j'avoue qu'elle a probablement raison. Si l'homme en gris nous a vus monter dans la carriole, ce sera pour lui un jeu d'enfant de nous retrouver. Je n'ai pas tellement envie de le revoir, celui-là. Aussi bien battre le fer pendant qu'il est chaud. De toute façon, ma sœur a déjà remis sa tuque et ses bottes.

Chausser des raquettes sous les rafales de vent n'a rien d'agréable. La neige s'infiltre dans mon cou et me glace la peau. J'espère que ce sanatorium n'est pas trop loin.

Léa-Jeanne vérifie les raquettes de ma sœur et se met en marche. Les traces de la carriole sont encore visibles. Léa-Jeanne prend la tête de notre petite co-

Ionne, moi, je ferme la marche. Entre nous deux, Marie-Pierre s'emmêle dans ses raquettes tous les quatre pas. Ma petite sœur n'est vraiment pas douée pour les sports d'hiver.

— Il vaut mieux utiliser nos lampes de poche seulement au besoin. Comme ça, on ne pourra pas nous repérer, nous crie notre amie amérindienne.

À mon avis, il y a bien peu de risques que ça se produise. Un troupeau de rennes passeraient sur nos raquettes qu'on ne s'en apercevrait pas.

La neige virevolte tout autour de nous. On n'y voit pas à trois mètres. Les lampes de poche n'améliorent pas grand-chose. Marie-Pierre, qui ressemble de plus en plus à un bonhomme de neige, s'informe de temps à autre auprès de Léa-Jeanne :

— Tu crois qu'on arrive ?

La réponse est toujours laconique :

— Ça ne devrait plus être long. Un peu de courage.

J'espère qu'elle dit vrai. Les traces que nous suivons sur la neige sont à peine visibles. Alors que je commence à désespérer, Léa-Jeanne se retourne en gesticulant :

— Le voilà ! Nous y sommes !

Ce n'est pas trop tôt. J'en ai assez d'avaler des flocons. Sur notre gauche s'élève un sombre bâtiment. Plus nous approchons, plus je constate que le qualificatif de ruines lui va à ravir. Ce n'est sûrement pas là-dedans qu'on nous servira une soupe chaude.

5

Le sanatorium

La décoration intérieure est tout à fait ce que j'imaginais, sale et délabrée. Nous piétinons des morceaux de verre, de bois et de plâtre. Le couloir est parsemé de petits tas de neige qui s'accumulent sous les carreaux éclatés.

— Venez, ordonne Léa-Jeanne, en s'engageant dans le long corridor sombre.

Marie-Pierre fait mine de la suivre, mais laisse plutôt tomber son sac à dos et s'appuie contre le mur. Ses yeux ont l'air de deux œufs au miroir.

— On ne pourrait pas se reposer un peu ? J'ai l'estomac dans les talons.

Enfin une proposition intelligente. Nous nous installons tous les trois contre le mur à même le sol. Je sors un paquet de biscuits à l'érable de mon sac. Il est sérieusement entamé, mais ce sera suffisant pour calmer notre faim. Léa-Jeanne est inquiète et ne fait que grignoter.

— Peut-être vaudrait-il mieux se séparer pour trouver un passage vers le sous-sol ? exprime-t-elle en tripotant son biscuit.

Je m'oppose vivement à cette idée. Pas question de me promener tout seul dans cette ruine. Pour une fois, ma sœur m'appuie sans réserve.

Léa-Jeanne n'insiste pas. Son beau visage arrondi se tourne vers nous.

— C'est chouette que vous soyez ici. Toute seule, je n'y serais pas arrivée.

Je croque un biscuit. Avoir la bouche pleine m'empêche de bafouiller en présence de ma sœur. C'est qu'elle me plaît beaucoup, Léa-Jeanne. Ses yeux sombres sont si brillants ! En plus, elle semble très douée pour le sport.

Je n'ai pas le temps de dérouler plus avant mon menu qualitatif. Un ronronnement de moteur perce la tempête. En moins de deux, nous sommes debout.

— Qui ça peut-il être ?

Ma sœur a chuchoté. Comme si quelqu'un pouvait nous entendre dans cette bâtisse aussi déserte qu'une salle de classe en plein cœur de l'été.

— Comment aurait-il pu nous retrouver si rapidement ? ajoute Léa-Jeanne sur le même ton ouaté.

Ai-je besoin de lui préciser que la moto-neige est quand même plus performante qu'une paire de raquettes. Le bruit du moteur est maintenant bien perceptible. Pour nous, il ne fait aucun doute qu'il s'agit de l'homme en gris. Nous ramassons nos affaires en vitesse. Nous avons une incantation à découvrir.

— Par ici ! ordonne Léa-Jeanne en prenant les devants.

Le rayon de sa lampe court sur le sol et explore chaque pièce que nous croisons. L'endroit est vraiment sinistre. Dire que les familles québécoises se préparent à fêter Noël en illuminant leur maison de guirlandes colorées.

Nous atteignons rapidement le bout du corridor. Soudain un bruit très net se fait entendre. Immédiatement Léa-Jeanne éteint sa lampe. Marie-Pierre s'exclame :

— Regardez !

Derrière nous, à l'autre bout du couloir, un rayon lumineux s'agite. J'entends mon cœur frapper contre mon sternum. Je ne les croyais pas si près l'un de l'autre, ces deux-là.

Nous entrons en nous bousculant par la première ouverture sur notre droite. Même Super Mario, survolté par son étoile, n'aurait pas été plus rapide que nous. Prudemment, je jette un coup d'œil dans le corridor. La lumière est immobile tout au bout.

— Méfie-toi, Benoît. Cet homme est un sorcier, me prévient Léa-Jeanne.

Sorcier ou pas, il faut faire quelque chose. Sinon, il va nous coincer.

— Cherchez une façon de descendre au sous-sol. Je vais tenter de le ralentir.

J'ai entendu des dizaines de variantes de cette réplique au cinéma. Par la suite, le héros trouve toujours une manière originale de s'en sortir. Le problème est que je n'ai pas de scénariste pour me guider. Alors je crois bien que je me suis mis les pieds dans le plat. Je m'avance comme un soldat au combat, jusqu'à l'ouverture suivante. Une voix rauque et assourdie par le vent s'élève dans le noir :

— Eh ! Oh ! Il y a quelqu'un ? Je n'ai pas envie de jouer à cache-cache.

Moi, j'en ai bien l'intention. Je prends un gros caillou que je lance habilement dans une autre ouverture à mi-chemin entre nous et l'homme en gris. La lumière de la lampe de poche se met à virevolter dans tous les sens. J'en profite pour m'approcher encore un peu. La voix de l'homme se fait entendre à nouveau :

— Léa-Jeanne ? Est-ce que c'est toi ? Je suis venu te chercher. Tu es là ?

D'un œil, j'évalue la situation.

La lampe de poche décrit maintenant des cercles réguliers. La voix de l'homme s'élève dans la nuit :

— Tu vois la lumière ? Regarde-la bien. Laisse-toi aller. Écoute ma voix.

Je fixe le rayon jaune sans pouvoir en détacher mon regard. Mon corps s'alourdit et, malgré mon intention, je n'arrive plus à bouger. Devant moi, il se produit une chose curieuse. Le corridor s'illumine d'une lumière blafarde. Des bruits de pas résonnent tout autour de moi. J'entends le murmure de plusieurs conversations entre-coupées de fortes quintes de toux. Une infirmière sort d'une chambre tenant à la main une serviette tachée de sang. Elle croise un homme à l'air triste et aux yeux rougis. Il s'avance vers moi en me faisant un petit geste de la main.

La voix de Marie-Pierre me parvient de très loin.

— Benoît, reviens !

Est-ce que je suis en train de devenir fou ? On dirait que l'hôpital se met à re-vivre. Les détritus ont cédé la place à un

parquet de carreaux de céramique imma-
culés.

Je suis ébahi, et en même temps,
paralysé par la peur. Des malades à
l'allure de zombis sortent des chambres et
se tournent vers moi. Tout au fond, un
grand gaillard en blouse blanche portant
un stéthoscope au cou s'avance lentement. Sa tête me dit quelque chose. Mais
je n'ai d'yeux que pour l'immense tablette
de chocolat qu'il tient dans sa main.

J'entends maintenant les cris de Léa-
Jeanne. Faiblement, comme s'ils prove-
naient du sous-sol. Je dois sans doute
rêver. Pourtant je suis sûr que je ne dors
pas.

— Benoît, dépêche-toi !

Mais je ne peux détourner les yeux de tous ces gens qui s'animent devant moi. Les malades en pyjama sortent des chambres et s'avancent dans ma direction. L'un d'eux ouvre une bouche édentée pour me parler :

— Venez, jeune homme, nous allons vous faire visiter les lieux. Nous avons décoré pour Noël. Vous verrez notre sapin est très beau. Et puis le père Noël est déjà là. Venez.

Pour appuyer ses dires, il s'écarte et ordonne aux autres de l'imiter. Derrière eux, le père Noël s'avance avec une poche débordante de cadeaux multico-lores. Même si je ne crois plus à ce joyeux gros homme, je ne peux m'empêcher de m'écrier :

— Le père Noël !

Le spectacle est fascinant ! Ma sœur et Léa-Jeanne continuent de m'appeler. Leur voix est étouffée par le bruit des rafales de vent.

— Benoît, qu'est-ce que tu attends ? Il faut partir !

Le père Noël me fait signe de sa moufle. J'ai envie de m'approcher, il a peut-être un cadeau pour moi. C'est alors que ma sœur me crie à pleins poumons :

— Benoît, ton exercice de hockey. Tu vas être en retard.

La réalité refait surface d'un coup. Je me suis fait charmer, tout ça n'était qu'une illusion. L'homme en gris est maintenant à moins de cinq mètres. Je distingue sa silhouette derrière la lampe de poche.

Je me précipite vers le fond du corridor, guidé par la voix de Marie-Pierre.

—Vite, Benoît, bouge-toi !

— Venez, signale Léa-Jeanne. Il y a une petite ouverture dans le plancher. Je crois que nous pourrons nous glisser jusqu'au sous-sol.

L'homme en gris crie dans mon dos :

— Arrêtez ce petit jeu, les enfants ! Je commence à en avoir assez, Léa-Jeanne ! Vous n'avez rien à craindre. Je suis ici pour vous ramener.

Encore étourdi par les visions, je me faufile derrière Léa-Jeanne. Je l'entends m'encourager :

— Laisse-toi tomber, Benoît. Il n'y a rien dessous.

J'atterris durement sur le sol. Trois secondes plus tard, ma sœur me tombe sur le dos comme toute sœur qui se respecte. On a de la chance ! Avec sa grande taille, l'homme en gris ne pourra pas nous suivre par cette ouverture.

À peine sur ses pieds, Marie-Pierre questionne Léa-Jeanne :

— À quoi ressemble ce qu'on cherche ?

— Je ne sais pas trop. On raconte que notre ancêtre a gravé l'incantation sur un mur. Prenez chacun une lampe de poche et cherchons, décide Léa-Jeanne en s'activant.

Vite, nous imitons notre amie amérindienne. Les faisceaux de nos lampes s'entrecroisent, tels les spots d'un spectacle. Une grosse voix, au-dessus de nos têtes, interrompt un instant notre ballet lumineux.

— Léa-Jeanne, où es-tu ? Je t'ai assez cherchée comme ça ! Je dois te ramener. J'en ai assez de te courir après.

La voix est excédée et lourde de colère. J'en ai la chair de poule ! Marie-Pierre pousse un cri :

— Venez voir !

Ma sœur a trouvé une sortie. Une dizaine de marches recouvertes de neige et de gravats montent vers l'extérieur. Au moins nous ne sommes pas coincés. Léa-Jeanne semble désespérée. L'inscription est introuvable. Il nous faudrait plus de temps.

Nous escaladons quelques marches de l'escalier. Un tas de planches obstrue à moitié la sortie. Le vent s'engouffre par l'ouverture en sifflant.

— Il faut sortir, sinon il va nous rattraper, annonce Marie-Pierre en passant le haut de son corps à l'extérieur.

Je ne suis pas chaud à l'idée de retourner dans le froid. Mais avons-nous une autre solution ? Léa-Jeanne s'obstine.

— Benoît, attends !

Elle frotte maintenant le mur de ciment de ses deux moufles.

— Il y a une inscription.

Avec empressement, Léa-Jeanne sort un crayon et un petit calepin de sa poche. Je la sens nerveuse.

— Note, Benoît, je vais te dicter.

Mon ami Nicolas n'en croirait pas ses yeux. Je rédige une dictée durant mes vacances. Léa-Jeanne lit avec difficulté tout en continuant à nettoyer la poussière sur le mur.

— Zaag'am... On dirait de l'algonquin.

Je la regarde avec horreur. Jamais madame Gagné, notre professeure de français, n'a été si mesquine sur le premier mot d'une dictée.

— Est-ce que tu pourrais épeler, Léa-Jeanne ?

Elle s'exécute pendant qu'à l'autre bout du sous-sol, une lumière surgit du plafond. Il semble que l'homme en gris ait trouvé une ouverture à sa taille. J'attends la suite. Léa-Jeanne s'exclame :

— Je ne peux pas déchiffrer le reste. Le mur s'est effrité.

L'incantation n'est pas complète, impossible de la lire à haute voix. De toute façon, le sorcier s'amène ! Marie-Pierre réapparaît au sommet des marches.

— Benoît, il y a une motoneige dehors. Tu peux conduire ça ?

— Pourquoi pas, j'écris bien en algonquin !

6

Leçon de conduite

Autour de nous, la poudrerie soulève de grands murs de neige qui s'abattent sur le dos des congères. La visibilité est réduite. Nous nous enlisons dans la neige jusqu'aux genoux.

Marie-Pierre avance devant nous en courbant l'échine. Sa détermination m'étonnera toujours. Après dix mètres d'efforts, nous atteignons la motoneige. Une touffe de buissons la protège du vent.

— La clef est dans le contact, nous crie Marie-Pierre.

Le sorcier pêche par excès de confiance. C'est mal connaître les enfants d'aujourd'hui, s'il croit que nous allons tomber dans ses filets sans combattre. Nous sommes en l'an 2002, cher Monsieur. La sorcellerie n'est pas notre fort, mais aux jeux d'aventure, nous sommes imbattables.

— Super ! Quel bolide, s'exclame Léa-Jeanne en prenant place à l'arrière !

Énorme serait plus juste. À côté de ça, la motoneige d'oncle Alain fait figure de planche à neige motorisée. Il ne m'a laissé conduire la sienne que deux fois. Juste pour rire, en me tenant les mains sur le guidon. C'est à peine si on avançait. Je ne suis pas sûr que ça me donne droit au permis de conduire.

Marie-Pierre s'assoit devant Léa-Jeanne.

— Allons-y, Benoît !

Ma sœur s'attend vraiment à ce que je conduise cet engin !

Je prends place derrière le guidon pendant que Marie-Pierre, à l'aide de sa lampe de poche, éclaire le tableau de bord par-dessus mon épaule. J'ai l'impression d'être au poste de commandes d'un Boeing. Marie-Pierre me crie dans les oreilles :

— Il faut tourner la clef.

Bien sûr, je ne fais que ça ! Mais le moteur ne démarre pas. Il me semble qu'oncle Alain tirait sur un bouton avant d'actionner la clef. Oui, mais lequel ?

— Dépêche-toi, Benoît. Le sorcier ne doit pas être loin. Allez, démarre !

Dire que je manipule un ordinateur sans problème. Je tire à fond le bouton le plus à gauche. Selon la logique du gauche à droite, ça devrait marcher. Si ce genre de raisonnement est bon pour ma sœur, il devrait l'être pour moi.

— Vite, il arrive ! crie Léa-Jeanne à son tour.

Effectivement, une grande silhouette se profile dans la tempête. J'actionne la clef à nouveau. Cette fois le moteur se met à gronder et à vibrer. Sur notre gauche une lumière transparaît au-travers du rideau de neige. Il n'en faut pas plus pour que Marie-Pierre me martèle les épaules. Sans réfléchir, je serre les deux poignées et l'engin s'élance brusquement vers l'avant. Mes deux passagères hurlent comme si on venait de s'envoler pour le Sud.

— Ouais ! Youppi !

Le véhicule prend rapidement de la vitesse. Nous percutons un petit arbuste qui se couche sur notre passage. Nous fonçons dans l'obscurité la plus totale. Derrière, Marie-Pierre continue à jouer son rôle de copilote :

— Allume les phares, Benoît.

Elle en a de bonnes, ma sœur !

— Je ne suis pas une pieuvre. Je n'ai que deux mains et elles sont fort occupées.

— Laisse-moi faire, dit-elle en se glissant à moitié sous mon bras.

Sa main tripote les boutons. Soudain le moteur manque de caler et la vitesse se stabilise. Les phares s'allument. Devant, apparaît la forme d'un arbre gigantesque. Nous fonçons droit dessus ! Je pousse un cri et tourne le guidon sur la gauche. Nous évitons le tronc de quelques centimètres.

— Nous l'avons évité ! Bravo !

Le cri de Léa-Jeanne me va droit au cœur. Je gagne de l'assurance. Maintenant je peux mieux contrôler la vitesse. Le sorcier est sûrement loin derrière. Un problème de réglé. Il nous reste à présent à trouver la base de plein air. Avec toute cette neige, ce sera aussi facile que de trouver l'atelier du père Noël.

— Regardez !

Devant, j'aperçois une lueur. Quelle chance, nous sommes sauvés ! Je me dirige droit dessus. Je ralentis. Un énorme bâtiment se profile dans le noir. Marie-Pierre s'écrie :

— On dirait qu'il y a une maison. Je vois une lumière.

La lueur s'agite à présent de façon régulière. Je me sens attiré vers elle comme une mouche par un pot de confiture. Il me semble que quelque chose cloche. Derrière la lampe, je crois distinguer une silhouette qui ne m'est pas inconnue. Mon esprit est confus.

— C'est le sorcier !

Le cri de Léa-Jeanne, porté par le vent, balaye l'envoûtement d'un coup. Devant nous, l'homme agite maintenant ses deux bras dans les airs comme s'il dirigeait l'atterrissage d'un avion.

Tout à l'heure, en évitant l'arbre, j'ai dû faire demi-tour sans m'en apercevoir. C'est qu'on n'y voit rien dans ce blizzard. Maintenant je fonce droit dans la gueule du loup.

— Il faut tourner, Benoît.

Comme si j'avais besoin de ma sœur pour me rappeler une telle évidence. Je passe en accélérant à la gauche de l'homme. Un coup de vent arrache ma tuque. Un souffle froid s'abat sur ma nuque. Est-ce la proximité de cet homme ou la morsure de l'hiver ? Je ne le saurai jamais. Comme je ne saurai jamais comment j'ai pu réussir ce virage en épingle à cheveux.

— Hourra ! Bravo, Benoît, tu es un as !

Mes passagères m'encouragent avec entrain. Je dois admettre que je commence à aimer mon expérience de conducteur.

Il reste à retrouver le chemin de la civilisation au plus vite. Ça ne tarde pas. La motoneige arrache une clôture de perches en projetant le bois dans les airs. Le pare-brise résiste. Nous nous cramponnons au véhicule comme des taches de rouille. Léa-Jeanne me demande par-dessus le grondement du moteur :

— Tu sais où on va, Benoît ?

— Le plus loin possible de cet homme !

Il me semble tout à coup que la moto-neige a quitté le sol. La neige n'offre plus aucune résistance. Est-ce ce coquin de sorcier qui me joue encore un tour ? Je me rentre la tête dans les épaules. Nous tombons réellement dans le noir. Notre machine arrache la cime d'un petit sapin et rebondit sur une congère. Notre course s'achève dans un long dérapage.

Mon oreille de hockeyeur reconnaît le bruit d'une surface glacée, râpée par les skis et la courroie motrice de notre véhi-cule. Je suis projeté sur le sol en même temps que Marie-Pierre.

— Qu'est-ce qui s'est passé, Benoît ?

À en juger par la voix, ma sœur ne semble pas trop amochée.

— Je crois que nous venons d'atterrir sur un lac.

— Atterrir ! Tu veux dire S'ÉCRASER sur un lac ! me crie-t-elle.

— Je veux dire que je n'ai pas le temps d'écouter tes sarcasmes. Il faut voir si Léa-Jeanne est blessée.

Plus loin, la motoneige à présent silencieuse est immobilisée. Son gros œil lumineux éclaire dans notre direction. Marie-Pierre se lève et fait un pas vers la lumière. Un craquement sinistre résonne aussitôt.

— Tu as entendu, Benoît ? Qu'est-ce que c'est ?

— Je crois que la glace n'est pas très solide. Ne bouge plus.

Un autre craquement vient confirmer mon hypothèse. Je me redresse prudemment sur les genoux. La voix de Léa-Jeanne s'élève dans la nuit.

— Restez où vous êtes, les amis. Nous sommes écrasés sur un lac près de l'embouchure d'un ruisseau.

Marie-Pierre ne rate pas l'occasion :

— Tu vois que j'avais raison de parler d'écrasement.

Parfois je souhaiterais être enfant unique.

— Est-ce que tu vas bien, Léa-Jeanne ?

— Oui, Benoît, je n'ai rien. Mais je ne crois pas que la glace va supporter le poids de la motoneige bien longtemps. L'eau vive est tout près de moi.

Un peu paniqué, je m'adresse à ma sœur :

— Il faut faire quelque chose, Marie-Pierre. Mais surtout, ne bouge pas.

— Comment veux-tu que je fasse quelque chose sans bouger ?

— Je réfléchis.

— Alors la neige a le temps de fondre. Fais plutôt comme moi. Je l'ai vu dans un film.

Marie-Pierre étend son corps de tout son long sur la glace et se met à ramper comme un phoque en agitant ses deux bras.

— Mais où vas-tu ?

— Sur la rive. Il y a bien assez de poids comme ça sur la glace.

Léa-Jeanne, qui a suivi notre conversation, approuve sans réserve. Transformé en phoque, je me traîne sur le ventre, à la suite de Marie-Pierre, jusqu'aux premiers buissons. Le vent s'est calmé un peu. Tant mieux parce que mes cheveux courts ne me protègent pas tellement du froid.

Sitôt debout, nous allumons une lampe de poche. Rien aux alentours qui puisse nous aider. Il n'y a qu'une solution, fabriquer une corde à laquelle Léa-Jeanne pourra s'accrocher. Nous attachons rapidement bout à bout, nos chandails, le foulard de Marie-Pierre et nos sacs à dos. Ça devrait suffire.

Malheureusement, la glace cède et notre amie pousse un cri de détresse. Je me précipite à quatre pattes dans sa direction.

— Oh ! Non ! Léa-Jeanne !

Dans la nuit constellée de flocons, le phare de la motoneige se redresse lentement à la verticale. Elle va sombrer dans le lac glacial en entraînant Léa-Jeanne.

7

Le naufrage

On dirait une scène du film *Titanic*. Je revois la belle Kate et le brave Leonardo suspendus à la proue du navire juste avant qu'il ne s'enfonce à la verticale dans l'eau glacée. Quelle horreur s'il fallait que Léa-Jeanne subisse le même sort !

Mais la motoneige, immergée à moitié, reste dressée vers le ciel. Le lac semble peu profond à cet endroit. Probablement à cause des alluvions transportées par le ruisseau.

— Dépêche-toi, Marie-Pierre !

Ma sœur achève notre corde de fortune. Elle noue une manche de son chandail avec la bretelle de mon sac à dos. Elle travaille en vitesse accélérée.

— Voilà, Benoît, j'ai terminé. Reviens sur la rive. C'est moi qui dois y aller. Je suis la plus légère.

Léa-Jeanne nous crie :

— Vite, la motoneige bouge encore !

Marie-Pierre descend sur la glace avec une des extrémités de la corde. Je prends l'autre bout et je m'assois dans la neige derrière ma sœur. Notre corde improvisée doit bien faire quatre mètres. Ce sera juste.

— Vas-y doucement, Marie-Pierre.

Il est plus facile d'y voir depuis que la tempête s'est apaisée. Le vent souffle toujours, mais les flocons se sont raréfiés.

Ma sœur progresse sur le ventre en direction de Léa-Jeanne. Je la suis en me glissant sur le postérieur. Le phare de la motoneige éclaire toujours notre amie. Elle se tient maintenant en équilibre, accroupie sur le nez du véhicule. La lumière lui donne l'aspect d'un gros insecte qui s'apprête à bondir.

— Reste où tu es, Marie-Pierre. Il va falloir que je saute. La motoneige va basculer ! crie Léa-Jeanne.

— OK. Je laisse la corde tout près. Attrape-la. Si la glace se rompt, nous pourrons te hisser sur la rive.

Sitôt dit, ma sœur lance devant elle un bout de notre corde improvisée. Puis rapidement, elle revient vers moi.

Au moment où Léa-Jeanne saute le plus loin possible de la motoneige, le phare s'éteint. J'entends le choc produit par sa chute, un bruit sourd ponctué de craquements inquiétants.

— Allez-y, j'ai la corde, tirez ! nous crie Léa-Jeanne.

Je m'apprête à tirer de toutes mes forces quand la corde s'arrache de mes mains. Le sorcier est à mes côtés. La surprise liquéfie mes muscles. Ce qui n'est pas peu dire à −10°C ! Sa grosse voix éclate comme le tonnerre :

— Accroche-toi, jeune fille. Je vais te sortir de là.

En moins de deux, Léa-Jeanne nous rejoint sur la rive. Le sorcier nous domine de toute sa hauteur. Son abondante chevelure vole au vent en lui composant une tête de méduse.

Assis tous les trois dans la neige, nous sommes à sa merci. Il s'accroupit devant nous. Son regard est aussi féroce que celui de mon père, le jour où j'ai détruit par erreur les dossiers personnels de son ordinateur.

— Vous auriez pu vous tuer ! Heureusement que j'ai suivi votre piste et que j'ai aperçu le phare de la motoneige.

— Mais pourquoi m'avez-vous sauvée ? lui demande Léa-Jeanne en frissonnant.

— Parce tu aurais pu te noyer, petite peste, accuse le sorcier avec rudesse.

Léa-Jeanne se renfrogne et croise les bras, bien plus pour enrayer ses frissons que par défi. L'homme se redresse.

— Avant de passer aux explications, il faudrait vous réchauffer. Allez sous le grand sapin là-bas. Et restez-y. J'en ai assez de vous courir après ! Je vais tenter de trouver du bois sec pour faire un feu.

Pendant que tout le monde s'exécute, j'essaie de comprendre ce qui arrive. Pourquoi le sorcier a-t-il sauvé Léa-Jeanne ? Veut-il nous torturer ? Nous faire rôtir la plante des pieds ? Nous brûler les paupières avec des tisons ardents ? Nous n'avons même pas l'incantation au complet. Mais nous croira-t-il ?

Il a cependant raison pour le froid. Mes oreilles sont douloureuses et je commence à grelotter.

À l'abri du vent, sous les ramures du sapin, nous attendons le retour du sorcier. Marie-Pierre tente de réveiller nos ardeurs :

— On ne va pas se laisser faire. Il faut trouver le moyen de s'enfuir.

Léa-Jeanne, épuisée par son aventure sur le lac, n'a plus le même enthousiasme.

— À quoi bon ? Nous n'avons même pas l'incantation.

— On ne doit pas se décourager, réplique Marie-Pierre.

J'interviens pour remettre les pendules à l'heure :

— Et comment retournera-t-on à la base sans raquettes, sans motoneige et sans la moindre idée de la direction à prendre ?

Léa-Jeanne m'approuve :

— Benoît a raison. On n'a pas d'autres choix que de rester ici. D'ailleurs le voilà qui revient.

Le géant laisse tomber une brassée de branches sèches dans la neige. N'y a-t-il pas eu une certaine Jeanne qui a péri sur un bûcher ?

8

Autour du feu

Le sorcier monte un feu de bonne taille. En très peu de temps, les flammes s'élèvent en crépitant. Malgré mon appréhension, je me rapproche de la chaleur réconfortante. Pendant plusieurs minutes, mes oreilles vont décongeler en produisant un picotement désagréable.

Maintenant le sorcier s'active autour de nous. À l'aide de ses pieds et de ses mains, il érige un rempart de neige du côté d'où vient le vent. Ensuite il prend place entre moi et Marie-Pierre. Léa-Jeanne lui fait face.

Il sort de sa poche un gros sac rempli de fruits séchés.

— Vous en voulez ? demande-t-il de sa voix grave et éraillée.

Je tends la main pour accepter son offre. C'est que je meurs de faim, moi. Mes provisions sont épuisées. Le sac passe de main en main. Léa-Jeanne s'abstient. Cet homme n'est pas pressé de prendre la parole. Il semble plutôt occupé à se réchauffer et à mâchouiller ses fruits secs. La lueur des flammes danse sur nos visages.

De temps à autre, ses yeux nous fixent tour à tour avec une curiosité mêlée d'exaspération.

Léa-Jeanne se décide à l'interroger :

— Et maintenant que vous nous avez attrapés, qu'allez-vous faire ?

—Je devrais vous donner la fessée, mais je crois que parler sera suffisant.

— Nous voulons retourner à la base, réplique Léa-Jeanne sans conviction.

D'un geste de la main, l'homme rabat ses longs cheveux sur son crâne et regarde vers le ciel.

— Il vaut mieux attendre ici. C'est encore couvert. On n'y verra rien dans l'obscurité. Et puis, je dois te parler de ton frère.

Le regard de Léa-Jeanne se perd dans les flammes.

— Il n'y a rien à dire. Sans l'incantation, mon frère subira la malédiction.

— Tu sais comme moi, Léa-Jeanne, que l'incantation n'existe pas, proclame le sorcier avec fermeté.

Je cesse de mâcher mes fruits secs et je glisse la main dans ma poche. Le papier, avec le début d'incantation, y est toujours. L'homme continue d'une voix tranquille en attisant le feu à l'aide d'une courte branche.

— Je sais que tu as de la peine pour ton frère qui va naître. Tes parents aussi. Et en plus, ils sont très inquiets pour toi. C'est pour ça qu'ils m'ont demandé de te ramener. Ils n'ont pas voulu alerter les policiers dans un premier temps. Bien sûr, j'aurais préféré être avec ma famille plutôt que de jouer au détective au milieu d'une tempête de neige.

Marie-Pierre semble aussi sonnée que moi par ces paroles. Cependant, sa réaction est cinglante :

— Vos manœuvres de sorcier sont inutiles. Nous avons l'incantation. Alors n'essayez pas de nous embobiner, explose-t-elle d'un air frondeur.

— Holà, fillette ! Tout d'abord, je n'ai rien d'un Harry Potter. Je suis Aurèle Nishkin, travailleur social au service des Attikamecs de la Haute-Mauricie. En théorie, je suis en vacances ; en pratique, je poursuis une fillette qui m'a donné beaucoup de fil à retordre. Sans parler de vous deux, dit-il en s'adressant à moi et à Marie-Pierre, qui êtes venus compliquer les choses.

C'est qu'il a l'air sincère, ce grand énergumène, malgré ses airs rébarbatifs. Il me coupe l'appétit, mais pas l'envie de lui poser quelques questions.

— Mais les visions ! Je ne suis pas fou, je vous ai vu habillé en père Noël ! N'est-ce pas de la sorcellerie ?

— Cela s'appelle de l'hypnotisme, jeune homme. J'ai étudié cette technique pendant mes études à l'université Concordia, à Montréal. Avec des sujets particulièrement sensibles, comme tu sembles l'être, il est possible de créer un état d'hypnose à courte distance. C'est ce qui s'est produit tout à l'heure. Tu as fixé la lumière et j'ai aidé ton esprit à s'évader. Ce que tu as vu reflétait les préoccupations de ton cerveau à ce moment-là. J'en déduis, à t'entendre, que tu es obsédé par tes cadeaux de Noël.

Je n'aime pas tellement être qualifié de « particulièrement sensible » en présence de ma sœur.

— Et votre crâne de serpent ? dis-je avec moins de conviction.

L'homme glisse sa main sous son manteau et en ressort le pendentif morbide.

— Ça ? D'abord ce n'est pas un crâne de serpent, mais celui d'une grosse couleuvre. C'est un cadeau d'un jeune Indien. J'ai passé beaucoup de temps auprès de lui. De longs mois de travail. Il avait des rapports difficiles avec sa famille, mais ça s'est arrangé. Il m'a donné ce crâne en guise de remerciement. En principe, je n'accepte pas de cadeau. Mais j'aime le porter pour me rappeler qu'il faut persévérer en toute chose. Et puis ça fait jaser.

Léa-Jeanne sort de sa torpeur, les yeux mouillés.

— Mais la malédiction va s'abattre sur mon frère. Je dois l'aider.

Monsieur Nishkin prend son temps pour s'adresser à Léa-Jeanne.

— Il existe effectivement une sorte de mauvais sort, mais personne n'y peut rien. Les lois de la nature sont ainsi faites. Il se glisse des erreurs de temps à autre. Ton frère a hérité d'un chromosome de trop. C'est ce qu'on appelle une trisomie, une erreur génétique. Ton frère sera différent de nous. Mais finalement, ne le sommes-nous pas tous, les uns par rapport aux autres ?

Même le vent ne souffle plus. À part les craquements du feu, on n'entend que le gémissement de notre amie qui pleure à chaudes larmes.

L'homme reprend avec la même sérénité.

— Tes parents ont fait preuve de courage. Ils comprennent ta réaction. Eux aussi auraient aimé que des mots magiques changent tout. Malheureusement ces mots n'existent pas. Ou plutôt si, il existe des mots d'amour dont tes parents et ton frère auront besoin.

Léa-Jeanne s'essuie le nez avec la manche de son anorak. J'aimerais la consoler. Au fond de ma poche, je froisse le papier entre mes doigts.

Elle reprend en regardant l'homme droit dans les yeux. Sa voix est chevrotante :

— Je voulais tellement un frère ! J'en ai parlé avec maman si souvent. Je m'en serais occupé. Il serait devenu beau, grand et fort. Alors que là, qu'est-ce que je vais pouvoir faire avec lui ?

— Ton frère sera ce que ta famille voudra qu'il devienne. Tu verras, il se débrouillera très bien. Mais en premier, il aura besoin de toute sa famille. Il aura surtout besoin de sa sœur.

Léa-Jeanne baisse la tête.

— J'ai cru qu'avec l'incantation...

— Ta mère m'a raconté la vieille légende familiale. La dernière conversation que vous avez eue lui a mis la puce à l'oreille. Elle a compris que tu t'accrocherais à cette histoire d'incantation.

— Mais notre ancêtre est mort dans ce sanatorium, affirme Léa-Jeanne avec entêtement.

— C'est vrai. Mais la vérité est que ton oncle n'avait plus tous ses esprits quand il a été admis au sanatorium. Il était très vieux, malade et sénile. On a donc quelque peu changé son histoire pour l'intégrer dans une belle légende. Parfois les familles tentent de cacher leurs côtés sombres aux yeux des autres. Alors elles embellissent la réalité.

Le reste de la nuit ne servira qu'à nous réchauffer. Le cœur bien plus que le corps.

Monsieur Nishkin s'occupe du feu. Léa-Jeanne n'est plus qu'une petite boule de tristesse. Moi, je serre la fausse incantation dans ma main. On ne sait jamais. C'est Noël après tout !

Quelques heures plus tard, deux moto-neigistes provenant de la base nous y ramènent.

La tempête a cédé la place à un matin blême. Malgré mes yeux fatigués, j'apprécie la vue de toute cette neige. Même les plus grands arbres s'inclinent sur notre passage.

9

Le départ

J'ouvre les yeux. Une belle lumière dorée entre par la fenêtre. Un coup d'œil à ma montre numérique m'indique qu'il est trois heures de l'après-midi. J'ai une faim d'ours au réveil d'une hibernation.

Je m'habille et je file au chalet principal. Dehors, le froid vif réveille mes engelures aux oreilles. Je pique un *sprint*. Seule à l'intérieur de la grande salle, Marie-Pierre s'empiffre d'un gros bol de céréales.

— Salut, mon frérot « particulièrement sensible » !...

Quelle mémoire elle a lorsqu'il est question de me taquiner ! Il faudra que je négocie une entente avec elle pour que cette histoire ne fasse pas le tour de l'école. J'ai quand même une solide réputation de hockeyeur à protéger.

— Tu es seule ? dis-je en appliquant la paume de mes mains sur mes oreilles pour les réchauffer.

Elle me regarde avec ironie.

— Non, je dîne avec mon copain, Bol de Céréales. C'est fou ce qu'on s'entend bien !...

— Très drôle ! Je voulais parler de Léa-Jeanne. Tu l'as vue ?

— Elle est au chalet principal. Elle téléphone à sa mère. Tu n'as qu'à prendre des céréales ou une pomme en attendant qu'elle arrive. C'est tout ce que notre moniteur chanteur a pu dénicher à cette heure de l'après-midi.

Je me sers une double portion.

— Et monsieur Nishkin ? dis-je en m'asseyant.

— Il organise un transport avec un groupe de motoneigistes venus de la pourvoirie voisine. Je crois qu'ils repartent pour La Tuque tout à l'heure.

— Oh ! Et pour la motoneige dans le lac ?

— Il a dit qu'il avait tout arrangé avec le propriétaire.

Je plonge dans mon bol de céréales sans enthousiasme.

— Ne fais pas cette tête, on est en vacances, m'encourage Marie-Pierre.

— Pauvre Léa-Jeanne, elle avait l'air si triste pour son frère ! Je me demande comment sera leur Noël ?

— Je crois qu'elle aime beaucoup son frère. Il n'est même pas né qu'elle se démène déjà comme une grenouille dans une piscine olympique pour lui venir en aide. Marie-Pierre a raison. Notre amie est forte de caractère.

L'appétit prend le dessus. Mon estomac s'apaise à grands coups de cuillère à soupe. Jamais des flocons de maïs ne m'ont paru aussi succulents. Seule l'arrivée de Léa-Jeanne ralentit mes ardeurs. Elle semble ragaillardie.

— Vous savez quoi ? Ma mère a accouché ; l'accouchement a été devancé d'une journée.

Marie-Pierre et moi attendons la suite impatiemment. Léa-Jeanne s'installe sur le banc près de ma sœur. Avec des gestes rapides, elle arrache sa tuque et ses moufles.

— Et comment est le bébé...? demande Marie-Pierre avec prudence.

— Il paraît qu'il ressemble à tous les bébés. Maman dit qu'il a un joli petit nez, la bouche de papa et un petit air oriental. Le docteur a précisé qu'il faudra surveiller son développement qui risque d'être plus lent.

Marie-Pierre réplique en me jetant un clin d'œil :

— C'est un garçon, quoi !

Nos éclats de rire évacuent la tension d'un coup. Au diable, sorcier, malédiction et incantation !

***

Une vingtaine de motoneiges attendent à la file indienne devant le chalet principal. La plupart des conducteurs, vêtus comme des cosmonautes, s'affairent autour de leur machine.

Monsieur Nishkin et Léa-Jeanne, casques de sécurité à la main, s'approchent de nous. Léa-Jeanne prend la parole :

— Je suis désolée de vous avoir entraînés dans cette histoire.

Marie-Pierre s'empresse de la rassurer :

— Ne t'en fais pas pour ça. C'était pour une bonne cause. Et puis nous avons gagné une amie dans cette aventure. Sitôt revenus de vacances on se téléphone.

— Ce serait super !

Une chose me tracasse.

— Quelqu'un pourrait me dire ce qu'il y avait d'écrit sur ce mur ?

C'est au tour de monsieur Nishkin de répondre :

— D'après ce que Léa-Jeanne m'a raconté, ce serait de l'ojibwe. Une langue ancienne dont l'algonquin est issu. La signification en serait : ... sortir. Celui qui l'a écrit en avait sans doute assez de son hospitalisation.

— Et je le comprends très bien, dis-je en me remémorant ma vision sous hypnose.

Monsieur Nishkin ajoute à l'intention de Léa-Jeanne :

— Rien ne prouve que cette inscription soit l'œuvre d'un malade du sanatorium. Ce n'est peut-être qu'un graffiti fait après la fermeture de l'hôpital.

— Peut-être. De toute façon, cela n'a plus d'importance. J'ai seulement hâte de voir mon frère.

Léa-Jeanne échange les bisous de circonstances avec ma sœur. Puis elle s'approche de moi en souriant. Je sens mes jambes ramollir.

— Benoît, tu es un conducteur de motoneige hors pair.

Sans hésiter, elle me plaque un baiser
sur la joue gauche et un autre sur la droite,
juste à la commissure des lèvres. Je vois
bien, à la tête que font monsieur Nishkin et
Marie-Pierre, que je suis rouge comme
une framboise sur un banc de neige.

Je suis sauvé par le grondement des motoneiges. Léa-Jeanne enfile son gros casque. Monsieur Nishkin nous serre la main.

— Passez de bonnes vacances, les enfants ! Et n'oubliez pas qu'un sorcier dort en chacun de nous. Il vit d'espoir et de courage, bien plus que de magie.

La caravane s'ébranle sous les lueurs faiblardes du soleil couchant. J'ouvre la main pour regarder le crâne de couleuvre que le travailleur social y a déposé en me serrant la main. J'y glisserai l'incantation. Peut-être que cela aura de l'effet sur tante Georgette et son rouge à lèvres !...

FIN

Crabtree

Janvier 2002

Tables des chapitres

Des livres pour toi

aux Éditions de la Paix

127, rue Lussier
Saint-Alphonse-de-Granby, Québec
J0E 2A0
Téléphone et télécopieur
(450) 375-4765
Courriel **info@editpaix.qc.ca**
Visitez notre catalogue électronique
www.editpaix.qc.ca

Collection DÈS 6 ANS
Martine Richard
   Tourlou, les troubadours !
   Tas-de-plumes et les humains
   Aquarine a-t-elle perdu la boule ?
Josée Ouimet
   Le Grand Duc
   Daphnée, la petite sorcière
   Le Paravent chinois
Soraya Benhaddad
   La Danse des papillons de nuit
Yvan DeMuy
   Radar, porté disparu
   Sacré Gaston ! [2]
Rollande Saint-Onge
   Le Chat qui voulait voler

Hélène Desgranges
Le Rideau de sa vie
Le Givré

Collection PETITE ÉCOLE AMUSANTE
Charles-É. Jean
Question de rire, 140 petites énigmes
Remue-méninges
Drôles d'énigmes
Robert Larin
Petits Problèmes amusants
Virginie Millière
Les Recettes de ma GRAM-MAIRE

Collection JEUNE PLUME
Hélène Desgranges
Choisir la vie
Collectifs
Pour tout l'Art du jeune monde
Parlez-nous d'amour

Collection RÊVES À CONTER
Rollande Saint-Onge
Petites Histoires peut-être vraies (Tome I)
Petites Histoires peut-être vraies (Tome II)
Petits Contes espiègles
Ces trois derniers titres ont leur guide
d'animation pour les adultes

André Cailloux
Les Contes de ma grenouille
Diane Pelletier
Murmures dans les bois

**Documents d'accompagnement
disponibles**

1 Livre-terrain-de-jeux et cassette de la
Chanson du courage (paroles et musique)

2 Cahier d'exploitation pédagogique
(nouveau programme)

3 Guide d'accompagnement pour la lecture

4 Pièce de théâtre

5 Sa version anglaise, **The Owl and the Hawk**

Un Chêne dans la tourmente
roman adulte de
Françoise de Passillé

(Premier prix de la relève 2002 décerné par
l'Association des Auteurs de la Montérégie)